Dès 5 ans

Cahier de lecture

avec Sami et Julie

A. CECCONELLO
Professeur des écoles

HACHETTE

Présentation

Ce cahier de lecture propose plus de **200 exercices progressifs et variés**.
La progression est rigoureusement adaptée pour un **apprentissage efficace de la lecture et de l'orthographe**.
En partant du plus simple pour aller vers le plus complexe, ces exercices permettent à l'enfant :
– d'approfondir la **reconnaissance des sons et des graphèmes** : étude de chaque **lettre isolée**, des **syllabes** puis des **mots** et des **phrases simples** ;
– d'améliorer la qualité de **perception auditive et visuelle** ainsi que la **production d'écrits**.
Afin de remédier aux difficultés rencontrées par l'enfant, à la fin du cahier, des **exercices de révisions** traitent des confusions et inversions les plus courantes.

Son ou lettre (graphème) étudié

Les consignes seront lues à l'enfant par un adulte.

Je dis ce que je vois à voix haute (perception auditive).

J'écris la syllabe que j'entends lorsque je dis le mot représenté par un dessin.

Je reconnais la syllabe dans un mot (reconnaissance visuelle).

Je reconstitue un mot et je l'écris.

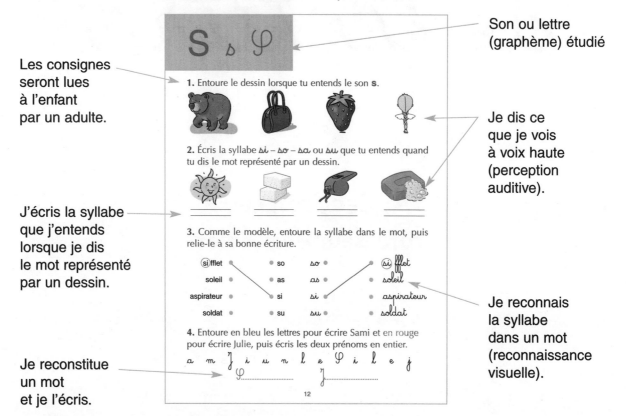

Maquette de couverture : Laurent Carré
Réalisation de la couverture : Nicole Le Thellec
Illustration de la couverture et de la page de titre : Annie-Claude Martin
Illustrations de l'intérieur : Annie-Claude Martin, Vasco-Gil Pereira, Philippe Rasera
Maquette intérieure et réalisation de la mise en pages : Médiamax

ISBN 978-2-01-169164-4

www.hachette-education.com

© Hachette Livre, 2005, 43 quai de Grenelle, 75905 Paris Cedex 15.

L'alphabet

Les lettres **a**, **e**, **i**, **o**, **u**, **y** sont les **voyelles**, les autres sont les **consonnes**.

a b c d e f g h i j k l m

A B C D E F G H I J K L M

a b c d e f g h i j k l m

A B C D E F G H I J K L M

n o p q r s t u v w x y z

N O P Q R S T U V W X Y Z

n o p q r s t u v w x y z

N O P Q R S T U V W X Y Z

Sommaire

A a a a A

1. Entoure le dessin si tu entends le son **a**.

2. Observe le modèle, puis colorie la perle là où tu entends le son **a** (au début, au milieu ou à la fin).

● ○ ○   ○ ○ ○   ○ ○ ○   ○ ○

3. Entoure les **A** – **a** – **ɑ** que tu vois.

A – e – a – e – a – A – e – i – ɑ – A – o – u – i – a – ɑ – e – A

4. Entoure les **A**, **a** et **ɑ** que tu vois dans les mots.

table   ami   **Anna**   arbre   ananas

Amélie   salade   vache   **sable**

5. Décore la lettre **a**.

5

I Y *i i ʝ*
y y

1. Regarde les dessins, puis relie-les à $\boxed{\text{i}}$ si tu entends ce son.

2. Complète les mots avec *a* et/ou *i* à l'endroit où tu entends ces sons.

g _ r _ fe   chem _ née   l _ pin   p _ le

3. Entoure les $\boxed{i - y}$ en rouge et encadre les $\boxed{a - A}$ en bleu.

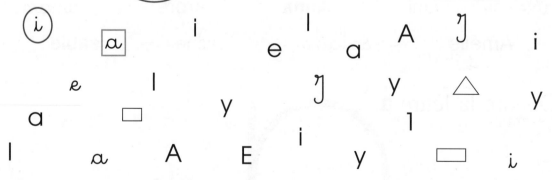

4. Entoure les **i**, *i* et **y** que tu vois dans ces mots.

pyjama – *pile* – incroyable – *jeudi* – rayures

1. Entoure le dessin si tu entends le son **o**.

   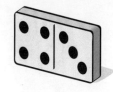

2. Regarde les dessins, puis écris la lettre *o* qui manque dans les mots.

vél _   t _ mate   r _ b _ t   escarg _ t

3. Colorie en rouge la lettre **o** quand tu la vois dans ces mots.

piano – locomotive – orange – collier – Odile

4. Relie les dessins au son que tu entends.

a

i

o

5. Observe le modèle, puis lis et entoure de la même couleur ce qui est pareil.

ia	io	ao

io   ai   ao   ia   oi   oa   ia

U u 𝒰

1. Relie le dessin à u si tu entends ce son.

2. Observe le modèle, puis colorie la perle là où tu entends le son **u** (au début, au milieu ou à la fin).

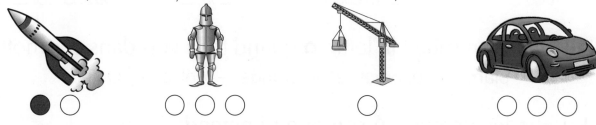

3. Colorie la lettre **u** que tu vois dans ces mots.

tortue – plume – luge – lunettes – armure

minute – flûte – ruche – fusée

4. Entoure tous les 𝓊 – 𝒰 – **u** – **U** que tu vois dans le nuage.

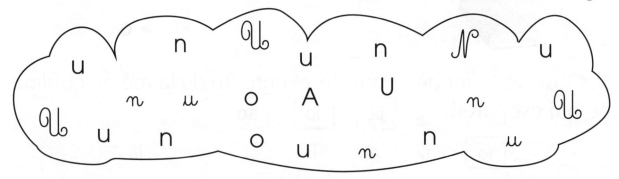

1. Entoure le dessin si tu entends le son **e**.

2. Regarde les dessins, puis écris la lettre e qui manque dans les mots.

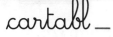

cartabl_   p_lot_   r_nard   chèvr_

3. Colorie tous les **E** – e – $\mathscr{E}$ que tu vois dans la grille.

E	A	u	e	$\mathcal{J}$
i	e	A	a	$\mathscr{E}$
u	a	$\mathscr{E}$	A	U
E	o	u	e	a
a	$\mathcal{U}$	$\mathscr{E}$	A	$\mathscr{E}$

4. Relie avec des couleurs différentes les lettres qui vont ensemble.

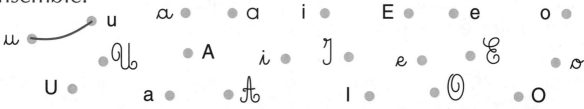

9

É é ́É

1. Écris **é** dans le carré si tu entends le son **é**.

 é  ☐  ☐  ☐

2. Complète les mots avec la lettre **é**.

_ p _ e   cl _   k _ pi   chemin _ e

3. Relie le son au dessin. Si tu entends deux fois le même son, utilise une autre couleur, comme le modèle.

é
o
u
a
i
e

4. Colorie la carte ☐é en vert, puis encadre de la même couleur les **é** que tu vois dans ces mots.

vélo   église   petit   ☐é   règle   étoile   forêt

ÈÊ èê

1. Entoure le dessin si tu entends le son **è**.

2. Observe le modèle, puis colorie la perle là où tu entends le son **è** (au début, au milieu ou à la fin).

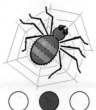   

○ ● ○   ○ ○   ○ ○   ○ ○

3. Entoure les mots : en rouge si tu vois un **é**, en bleu si tu vois un **è** et en vert si tu vois un **ê**.

pêche – vélo – forêt – chèvre – fête

élève – rivière – mère – bébé – tête

4. Écris sous chaque dessin et dans l'ordre où tu les entends, les sons que tu connais.

 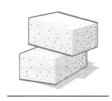  

i a o

S s 𝒮

1. Entoure le dessin lorsque tu entends le son **s**.

2. Écris la syllabe *si – so – sa* ou *su* que tu entends quand tu dis le mot représenté par un dessin.

_____ _____ _____ _____

3. Comme le modèle, entoure la syllabe dans le mot, puis relie-le à sa bonne écriture.

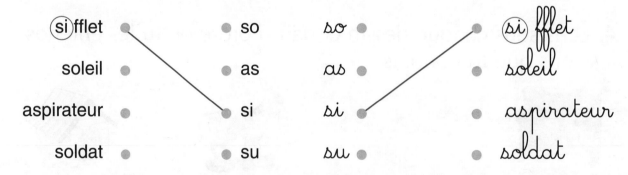

(si)fflet • • so   so • • (si) fflet

soleil • • as   as • • soleil

aspirateur • • si   si • • aspirateur

soldat • • su   su • • soldat

4. Entoure en bleu les lettres pour écrire Sami et en rouge pour écrire Julie, puis écris les deux prénoms en entier.

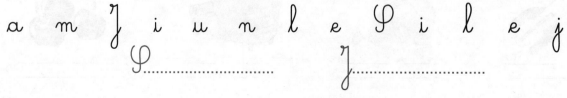

a m j i u n l e 𝒮 i l e j

𝒮.................................   j.................................

1. Écris la syllabe *li – lo – le* ou *lu* que tu entends quand tu dis le mot représenté par un dessin.

_____   _____   _____   _____

2. Observe le modèle, puis écris **il** ou **elle** à côté de chaque dessin.

  elle    ☐    ☐    ☐

3. Écris *le* ou *la* devant chaque dessin.

la    ☐    ☐

☐   ☐   ☐

4. Écris les syllabes dans le tableau, puis lis-les.

	a	i	u	o	e	é	è
s						sé	
l				lo			

R r ℛ

1. Écris la syllabe *ra – ri – ro* ou *re* que tu entends quand tu dis le mot représenté par un dessin.

___   ___   ___   ___

2. Lis et entoure de la même couleur ce qui est pareil.

il   se   ir   (ro)   ra   su   li   ar   si   ro   il   se

so   ar   se   li   ro   il   su   ro   il   su   ro   il   ar   se   su

3. Écris les syllabes sous les dessins pour former des mots en ajoutant *le* ou *la* devant chaque mot.

....*bot*   .... *sou*..........*s*   ....*e*   ....*n*.......*d*

4. Lis chaque liste de mots, puis entoure les mots identiques de la même couleur.

(assis)   assie   issue   sali   assis

(salir)   salue   salir   lasso   sali

1. Écris la syllabe *na – ni – no* ou *ne* que tu entends quand tu dis le mot représenté par un dessin.

_____   _____   _____   _____

2. Écris les syllabes dans le tableau, puis forme trois mots en écrivant **un** ou **une** devant.

	a	e	o	u	i	é
n			no			
r		re				
l						

1. ....

2. ....

3. ....

3. Entoure en rouge les **r** – *r* – *R* et en bleu les **n** – *n* – *N*.

P   N   r   P   l   n   N   n   L   r   R

s   n   v   L   r   s   s   r   n

4. Observe le modèle,
puis écris *une* –
le – la – il et *elle*
du bon côté
du dessin.

un

M m M

1. Lis, puis entoure de la même couleur les syllabes identiques.

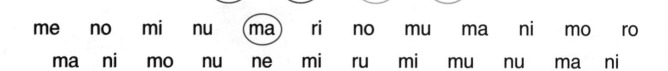

(ma)	(no)	(mu)	(ni)

me	no	mi	nu	(ma)	ri	no	mu	ma	ni	mo	ro

| ma | ni | mo | nu | ne | mi | ru | mi | mu | nu | ma | ni |

2. Remets les syllabes en ordre pour former un mot, puis recopie-le.

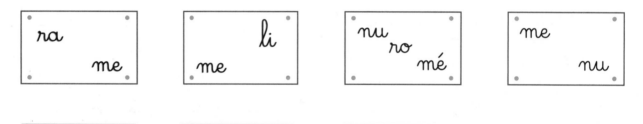

ra	li	nu	me
me	me	ro mé	nu

_____   _____   _____   _____

3. Entoure les syllabes **mi** – **ma** – **mè** – **mu** ou **me** dans les mots, puis relie comme le modèle.

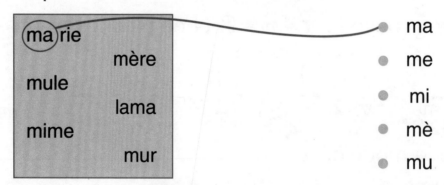

(ma)rie
mère
mule
lama
mime
mur

- ma
- me
- mi
- mè
- mu

4. Colorie les syllabes identiques de la même couleur.

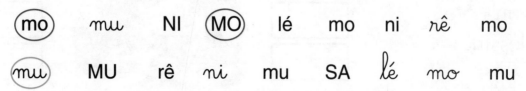

(mo)   mu   NI   (MO)   lé   mo   ni   rê   mo

(mu)   MU   rê   ni   mu   SA   lé   mo   mu

16

1. Écris *et* entre les mots.

Sami .... Julie   papa .... maman   papi .... mamie

2. Complète la phrase en écrivant *est*.

Il .... fatigué.   Elle .... triste.   Il .... joyeux.

3. Lis les phrases et entoure le mot juste.

Marie et / est Émilie.

Il et / est assis sur le lit.

Le rat et / est un animal.

4. Lis la phrase, puis entoure le dessin correspondant.

Il est assis et il lit.

F f ℱ

1. Écris le mot correspondant au dessin.

la .... la .... sée la .... t il ....

2. Choisis un mot dans chaque bulle pour construire une phrase, puis écris-la et lis-la.

(Le / La)   (fumée / renard)   (a / est)   (affamé. / affolé)   (ma mère.)

ℒ ....

3. Écris les syllabes puis trouve trois mots et écris-les.

	e	a	i	o	u	é	ê
f						fé	
m			mi				
r							
n							

1. ....

2. ....

3. ....

4. Entoure de la même couleur les lettres identiques.

Ⓜ ℱ f Ⓜ ℱ b L n ℰ A E
ⓜ F r ℛ ℒ 𝒩 n e a A

1. Écris la syllabe *vi* – *vé* – *vu* ou *va* que tu entends quand tu dis le mot représenté par un dessin.

_____   _____   _____   _____

2. Lis les syllabes, puis retrouve-les dans les mots et relie-les comme le modèle. Lis tous les mots.

vè •

          a (ve) nir   • vu

          ovale

          favori

vi •   sévère   • ve

          ville

va •   revue   • vo

3. Lis les mots dans le tableau, puis complète les phrases avec celui qui convient. Relis les phrases à voix haute.

Sami .... assis .... le lit.

Émilie va .... Léa à la rivière.

Le renard .... affamé et .... est à l'affût.

> *avec*
> *sur*
> *est*
> *il*

P p P

1. Écris les mots sous les dessins, puis lis-les à voix haute.

_____ _____ _____ _____

2. Relie les syllabes identiques, puis retrouve et entoure la syllabe dans le mot correspondant.

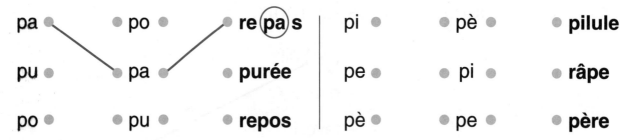

pa •   • po •   • re(pa)s   pi •   • pè •   • **pilule**

pu •   • pa •   • **purée**   pe •   • pi •   • **râpe**

po •   • pu •   • **repos**   pè •   • pe •   • **père**

3. Observe le modèle. Sur chaque colis, il y a le même son dans les trois mots. Trouve-le, puis écris-le.

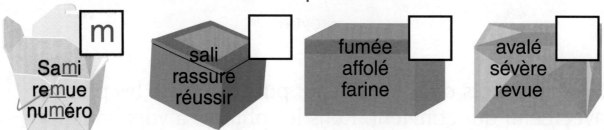

m — Sami remue numéro

sali rassure réussir

fumée affolé farine

avalé sévère revue

4. Sami a découpé ce message. Remets les morceaux en ordre, puis écris la phrase, et lis-là à voix haute.

 allé   est   Papa    rivière.   à   la

1. Lis chaque syllabe, puis écris-la et complète le mot comme le modèle.

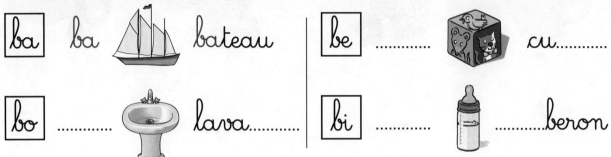

ba   ba   bateau | be   ....   cu............

bo   ....   lava............ | bi   ....beron

2. Lis les syllabes, puis entoure en rouge les **b** et b et en bleu les **p** et p.

ba – ni – pe – bo – fu – bi – pu – no – be

ba – pu – po – bi – pé – pa – vi – bu – pi

3. Lis les mots, puis relie-les aux dessins correspondants.

• bébé •

• robot •

• bobine •

• banane •

4. Remets les mots en ordre, puis écris les phrases correctement.

Sami   sur   est   assis   barrière.   la

....

Julie   robe.   sa   a   abîmé

....

T t 𝒯

1. Lis les mots, puis relie-les aux dessins correspondants.

pirate   tasse   tétine   moto

2. Lis les mots de chaque liste, puis retrouve le mot correspondant au dessin et écris-le en attaché dessous.

tasse	petite	tarte
pilote	tulipe	porte
tomate	pétale	tortue

....

3. Lis les mots, puis entoure de la même couleur les mots identiques.

tape   TARTE   fête   *tasse*   *Théo*

tarte   Théo   TAPE   *fête*   TASSE

FÊTE   tarte   Théo   tasse   *tape*

4. Relie les lettres qui vont ensemble. Change de couleur pour chaque lettre différente.

t •	• *p* •	• *ℬ* •	• t
b •	• *b* •	• *𝒯* •	• b
p •	• *t* •	• *𝒫* •	• p

1. Écris les mots sous les dessins.

un ....   un ....s   une ....

2. Lis les mots, puis complète-les avec t ou d.

un ....omino   une ....ame   une ....asse

une sala........e   une ....ulipe   une pé........ale

3. Lis en séparant les mots par une barre /, puis écris-les et lis-les à voix haute.

pirate/pédaledominomardimaladelimonadetapisdame

pirate   ....

....

4. Observe le modèle, puis lis et entoure les syllabes identiques. Change de couleur à chaque fois.

(do)   (ab)   (ba)   (pu)

po   da   ba   ab   (do)   pu   ab   bo   (do)   ba   up

ab   de   od   ap   ab   (do)   pu   ba   ab   po   ba

C c C
Q q Q K k K

1. Lis les mots, puis entoure le son **c** et écris le mot.

une ©améra   *une caméra*   un   canard   ....

le   cube   ....   le   sac   ....

un   coq   ....   la   carotte   ....

une   culotte   ....   la   casserole   ....

2. À l'aide des dessins, complète
la grille de mots croisés.

D

3. Lis les mots, relie-les
aux dessins correspondants,
puis récris-les.

masque •   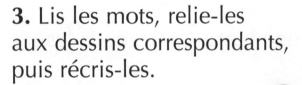   *un* ....

cirque •   *un* ....

barque •   *un masque*

casque •   *une* ....

4. Lis les phrases, puis entoure les mots dans lesquels
tu entends le son **c**.

Julie a mis une robe très colorée.

Elle a acheté quatre jolies cartes postales.

Il a mis un képi sur sa tête.

5. Lis les mots, puis classe-les sur la bonne carte.

un kilo – la cave – un cube – un ski – un kimono

quatre – un képi – un koala – une école – un costume

la cabane – le masque

k	qu	c
un képi	....	....
....	....	....
....		....
....		....
....		....

6. Remets les syllabes en ordre, puis écris le mot correspondant au dessin.

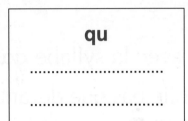

que   bri

une ....

ko   la   a

un ....

que   bar

une ....

no   ki   mo

un ....

7. Lis, puis relie aux mots pour compléter les phrases.

Qui est comique ? ......   ●   ● koala

Elle a mis un ......   ●   ● Sami

C'est un petit animal : le ...... ●   ● masque

G g G

1. Écris les syllabes, puis le mot en entier et lis-le.

g <
a .... gare ....
o .... gomme ....

gu <
ê .... guêpe ....
i .... guitare ....

2. Complète les mots avec la syllabe ga – go – gue ou gui, puis lis les mots. N'oublie pas que devant **e** et **i** il faut ajouter un **u** pour obtenir le son **g**.

une ba......... une ....tare un escar.........t un ....^teau

3. Lis et complète les phrases avec l'un des mots de la boîte.

À l'école, Marie a une règle et une ....

Elle lave sa ....

Papa va offrir une .... à maman.

bague
gomme
figure

4. Écris la phrase en remettant les mots en ordre, puis lis-la à voix haute.

arrivera Papa à la à gare midi.

....

26

CH ch

1. Lis les mots, puis relie-les aux syllabes correspondantes.

capuche ●   ● cha ●   ● niche

machine ●   ● che ●   ● chat

châle ●   ● chi ●   ● cheval

2. Remets les syllabes en ordre pour former des mots, puis écris-les et lis-les à voix haute.

bi che	*biche*

che va	....

....	che ru

....	mi née che

....	chi ma ne

3. Lis et sépare les mots d'une barre / pour former des phrases, puis écris-les correctement et lis-les à voix haute.

L e / p e t i t c h a t e s t f â c h é , i l s e c a c h e .

L ....

E l l e a m i s l e c h â l e s u r s a t ê t e .

....

H h $\mathcal{H}$

1. Lis les mots et entoure le **h** lorsqu'on ne l'entend pas.

un haricot – une poche – un parachute – hélas
une hermine – une biche – une huche – une ruche

2. Retrouve deux mots commençant par la lettre **h**,
puis écris-les correctement et lis-les.

L I C O P R E T È H É   *un* ....

M O H A R C A N I   *un* ....

3. Lis et sépare les mots d'une barre / pour former une phrase,
puis écris-la et lis-la à voix haute.

H é l è n e a u n r h u m e e t d e l a f i è v r e.

$\mathcal{H}$..

....

4. Complète le tableau, puis forme quatre mots contenant
un h et lis-les.

	a	e	i	o	u
h					
ch		*che*			
c					
r					*ru*
v					

1. *une ruche*
2. ....
3. ....
4. ....
5. ....

1. Lis les syllabes et entoure-les lorsque tu entends le son **j**.

ja   cho   vi   su   jé   che   so   chi   je

us   va   che   jo   chu   vi   ju   che   so

2. Entoure le dessin lorsque tu entends le son **j**.

3. Complète les mots par *ch* ou *j*.

une bi.............e   elle est ....olie   une ni.............e

un py.............ama   une ....upe   une ma.............uscule

4. Émilie a découpé ce message. Remets les morceaux en ordre, puis écris-le correctement.

| jolie | mis | a | Jasmine | une | jupe. |

....

| ira | la | de | Elle | fête | à | Julie. |

....

les tes
mes ses

1. Place ces mots dans les bulles pour faire parler les personnages.

mes – les – ses

.... fruits

.... fruits

.... fruits

2. Lis les phrases et complète-les avec *tes – les* ou *des* *(2 fois)*.

Elle a acheté .... légumes et .... fruits.

Tu laves .... bottes dans le lavabo.

Le chat a arraché .... tulipes.

3. Écris ces mots pour dire qu'il y en a plusieurs. N'oublie pas de rajouter le **s**.

ta banane → *tes bananes*

un chat → ....

son livre → ....

ta tomate → ....

le frère → ....

ma carotte → ....

Z z 𝒵

1. Lis les mots et relie-les aux syllabes correspondantes.

lézard

zéro

zoo

za

zè

az

zé

zo

gaz

zèbre

bizarre

2. Lis les syllabes, retrouve les mots, puis écris-les.

zo ga le ....

bu zé ....

.... zar ba

.... col za

3. Lis l'histoire et souligne tous les mots qui contiennent le son **z**.

Sami a vu une gazelle, des zébus et des zèbres dans un zoo.

Suzanne, elle, a vu un petit lézard sur un mur.

4. Lis les mots en les séparant d'une barre /, puis recopie-les.

t r a p è z e / z é r o b i z a r r e z è b r e Z o r r o l é z a r d

t........................

....

S = Z

1. Colorie la bulle si tu entends le son **z** lorsque tu prononces le mot représenté par un dessin.

 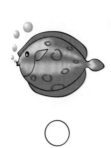  

○   ○   ○   ○

2. Lis les mots, puis entoure la syllabe lorsque tu entends le son **z**.

le va (se) – une cerise – la rose – du mimosa – du tissu

une chemise – une fusée – la jupe – il arrose

3. Lis, puis relie les mêmes mots écrits de différentes façons.

POÉSIE   ●   ● *musique* ●   ● *poésie*

musique ●   ● poésie ●   ● MUSIQUE

rose   ●   ● *chose* ●   ● *rose*

CHOSE ●   ● ROSE ●   ● chose

4. Lis, puis colorie les bulles contenant des noms d'animaux.

(la cuisine)   (tes chemises)   (une vipère)   (un koala)

(la méduse)   (un catalogue)   (un renard)   (des zèbres)

(la jardinerie)   (un lézard)   (mes valises)   (une casserole)

1. Lis, puis entoure de la même couleur les syllabes identiques.

(cra)   (dre)   (gri)   (fru)

fur – (cra) – COR – bre – DRE – CRI – que – GRI – cra

dre – fru – bre – CAR – cra – gri – fra – dre – FRU

2. Lis les mots, relie-les au dessin correspondant, puis écris-les.

un livre

un coffre • • • • *un livre*

un abricot

des fruits

une chèvre

des crêpes

3. Écris les syllabes dans le tableau, puis colorie la case de la syllabe que tu trouves en lisant ces mots.

la grotte
ta cravate
un cadre
un litre
sa brioche
des frites
le lièvre

	a	e	i	o	u
br					
dr	*dra*				
cr					
tr			*tri*		
gr					
fr					
vr					

pl bl cl gl fl vl

1. Lis, puis entoure de la même couleur les syllabes identiques.

(pla)　(glu)　(flo)　(ble)

POL – gul – flo – (PLA) – CLU – glu – ble – flo

CLO – fli – BLE – gli – pla – pal – glu – PAL – ble

2. Observe les dessins, puis écris leur nom à côté.

 un ....

 une ....

une ....

une ....

 un ....

3. Complète les mots avec les sons qui sont dans les boîtes.

une ta.............e

un ....at

une ....ume

une ....ague

une ....oche

une ....issade

la ....aque

le ....obe

4. Observe le dessin, lis les mots, puis entoure le bon mot.

 cartable
cravate

 plume
palme

 clé
blé

 église
écluse

1. Lis, puis entoure les syllabes quand tu entends le son **ou** et souligne les noms d'animaux.

UN FOUR   un loup   sa loupe   la mousse

une souris   UNE MOUCHE   une route   L'OURS

2. Complète les phrases avec les mots de la boîte.

Il y a une .... dans la cuisine.

Sami amène ....

La souris se cache sous ....

Julie joue avec sa ....

Elle lui fabrique un ....

souris
bijou
poupée

Minouche
le lit

3. À l'aide des dessins, complète la grille de mots croisés.

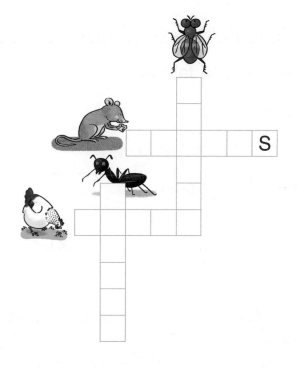

S

35

on

1. Écris les mots sous les dessins, puis lis-les.

le .... un .... une .... des ....

2. Lis les mots et relie-les à la bonne syllabe.

un salon ●	● lon ●	● de la confiture
un concombre ●	● pom – pon ●	● une réponse
un talon ●	● chon ●	● un melon
une pompe ●	● com – con ●	● un chiffon
des cornichons ●	● fon ●	● un bouchon

3. Relie le début des phrases à la fin, puis lis-les à voix haute.

Julie étale sur sa tartine ●	● du savon.
Sami se lave avec ●	● une pompe.
Papa a mis sur son vélo ●	● de cornichons.
Tonton ouvre le bocal ●	● de la confiture.

4. Complète les mots avec *ou* ou *on*, puis lis-les.

une d..........che – un biber.......... – la s..........pe – b..........jour

un b..........ton – le m..........de – une t..........pie – les m..........les

1. Complète les mots avec *on* ou *an*, puis lis-les.

du cot............ – une pl............te – b............jour – la m............tre

2. Lis les syllabes, puis forme quatre mots et écris-les.

jam ●   ● son   tem ●   ● ton   1. ....

pan ●   ● gue   pen ●   ● tre   2. ....

chan ●   ● talon   men ●   ● dule   3. ....

lan ●   ● be   ven ●   ● pête   4. ....

3. À l'aide des dessins, complète la grille de mots croisés, puis lis les mots.

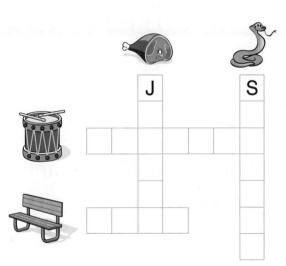

J   S

4. Choisis un élément dans chaque cadre, puis écris deux phrases et lis-les à voix haute.

| mes parents la tempête Sami | vont a mis arrive | son partir très vite | à la fête. dans la ville. pantalon. |

....

....

in   im

1. Écris les mots sous les dessins, puis lis-les.

un ....   le ....   les ....   un ....

2. Lis en séparant les mots d'une barre /, puis écris-les en attaché sur la bonne ligne.

s a p i n / l a p i n t i m b r e j a r d i n t i m b a l e r a v i n i m p o s s i b l e

in : ....

im : ....

3. Lis les phrases et entoure vrai (V) ou faux (F).

Les lapins dévorent les carottes.   V   F

Le sapin est un animal.   V   F

Le poussin est le bébé de la poule.   V   F

Le requin grimpe sur les arbres.   V   F

4. Colorie chaque syllabe d'une couleur différente, puis colorie-la de la même couleur dans le mot.

lin   din   tim   min   pin

une timbale   –   un moulin   –   le chemin   –   il grimpe

une dinde   –   des pépins   –   le jardin   –   un timbre

ph

1. Lis les mots, puis relie-les aux bons dessins.

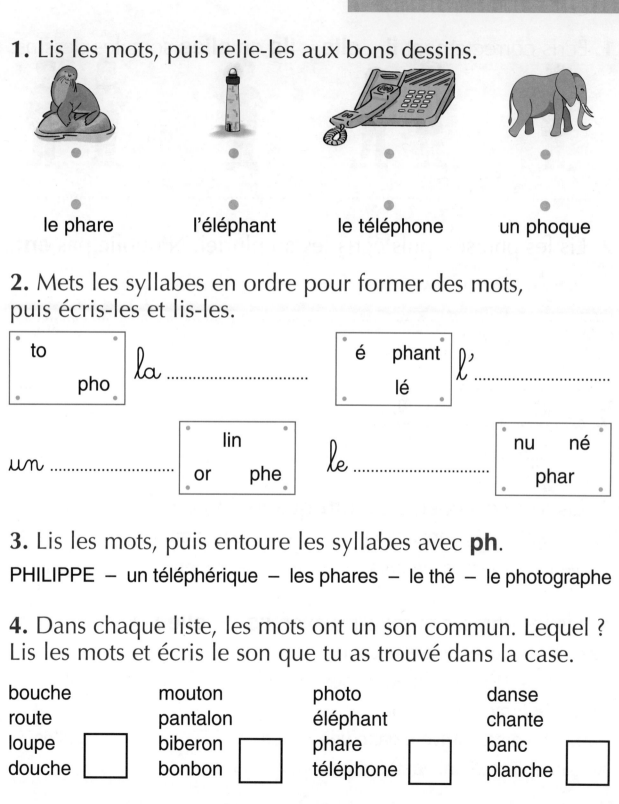

le phare   l'éléphant   le téléphone   un phoque

2. Mets les syllabes en ordre pour former des mots, puis écris-les et lis-les.

to					é phant	
pho		la		lé		l' ....

un ....

lin	
or	phe

le ....

nu	né
phar	

3. Lis les mots, puis entoure les syllabes avec **ph**.

PHILIPPE – un téléphérique – les phares – le thé – le photographe

4. Dans chaque liste, les mots ont un son commun. Lequel ? Lis les mots et écris le son que tu as trouvé dans la case.

bouche	mouton	photo	danse
route	pantalon	éléphant	chante
loupe	biberon	phare	banc
douche	bonbon	téléphone	planche

39

ils elles ent

1. Écris correctement **il** – **elle** – **ils** ou **elles** sous les dessins.

....

2. Lis les phrases, puis écris-les au pluriel. N'oublie pas **ent**.

Il écoute de la musique.

....

Elle joue à la poupée.

....

Il souffle dans sa flûte.

....

3. Lis les mots et entoure **ent** quand on ne l'entend pas.

ils courent – rapidement – elles comptent – une pente
souvent – mes parents – elles fabriquent – ils glissent

4. Lis les phrases et relie-les avec **ils** ou **elles**.

Les enfants jouent dans la cour.   ●

Les amies d'Émilie fabriquent des bijoux. ●   ● ils

Antoni et Simon dessinent.   ●

Papa et maman arrivent dans une minute.   ●   ● elles

Amélie et Rosalie aiment le chocolat.   ●

1. Complète les mots par *oi* ou *oin*, puis lis-les.

un p...........g   –   le p...........sson   –   une ét...........le   –   un c...........

bes...........   –   un ....seau   –   l...........   –   une arm...........re

2. Remets les syllabes en ordre pour former des mots, puis écris-les et lis-les.

le	tu	mi	re
voi	re voi	roir	poi

la .... une .... le .... une ....

3. Lis les mots, puis classe-les dans la bonne colonne.

le couloir   –   le foin   –   moins   –   la foire   –   le coin   –   le soir
un trottoir   –   le soin

oi	oin
....	....
....	....
....	....
....	....

4. Lis, puis entoure les **oin**.

OIN	noi	oin	ion	oi	ion
oin	OI	nion	ION	NOI	oin	OIN
ion	OIN	oni	NOIN	oin	in

41

ai   ei

1. Écris les mots contenant **ai** sous les dessins, puis lis-les.

un ....   des ....   des ....   une ....

2. Relie les syllabes pour former des mots, puis écris-les en attaché et lis-les.

rei ●   ● ze   ....

sei ●   ● leine   ....

ba ●   ● ne   ....

pei ●   ● ne   ....

3. Lis les mots, puis classe-les dans la bonne colonne.

j'aime – la veine – des graines – la verveine – la douzaine
sereine – treize – la plaine

ai	**ei**
....	....
....	....
....	....
....	....

4. Colorie chaque son d'une couleur différente, puis lis les mots et souligne le son de la même couleur que tu as choisie.

io   ia   iè   ié

le piano   une brioche   un diamant   la rivière
un lièvre   la radio   l'hortensia   la propriété

ce ci ç

1. Lis les mots, puis relie-les à la bonne syllabe.

la pharmacie •   • Fabrice

une glace •   • ce •   • le cinéma

le pouce •   • ci •   • citron

le cirque •   • la police

2. Lis en séparant les mots d'une barre /, puis écris-les dans la bonne colonne.

c a n a r d / é p i c e r i e p l a c e d é c e m b r e é c o l e c o u l o i r

c = k	**c = s**
....	....
....	....
....	....

3. En lisant les phrases, dessine ce qui manque sur le dessin.

Il y a des cerises dans le plat.

Une limace se promène dans les salades.

Il y a un gros sac de graines sous la table.

Un vase rempli de roses est posé sur la table.

4. Lis les mots et ajoute la cédille quand elle manque.

un garcon – une place – la facade – un macon – un glacon

une écurie – une lecon – un écran

ge gi

1. Écris les mots sous les dessins, puis lis-les.

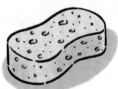 

une .... une .... une ....e

2. Lis, puis dessine ce qu'il manque sur les illustrations.

une cage pour le singe

des bagages pour la dame

un garage pour la voiture rouge

3. Complète les mots avec *ge* ou *gi*, puis lis-les.

une ima.......... – la ....rafe – un ora.......... – le manè..........

du froma.......... – la pla.......... – un vira.......... – une bou..........e

4. Lis les mots, puis quand tu entends le son **j**, entoure-le.

du goudron – la nageoire – la guirlande – l'orangeade

les bagages – la marguerite – un gitan – un plongeon

er   ier
ez   et

1. Lis les mots, puis relie-les au bon son.

le rocher ●   ● er ●   ● un saladier

un rosier ●   ● ier ●   ● le jardinier

ton nez ●   ● ez ●   ● le boulanger

2. Lis ces noms, puis souligne en rouge le son que tu
entends à la fin et entoure en bleu les noms de métiers.

un boulanger   un carnet   un pompier   un voilier

mon nez   un cerisier   le jardinier   un policier

3. Mets les mots en ordre pour former des phrases, puis
écris-les et lis-les à voix haute.

〔 Elle 〕 〔 jouer 〕 〔 va 〕 〔 rocher. 〕 〔 près du 〕

....

〔 le cerisier. 〕 〔 Sami 〕 〔 grimper 〕 〔 a envie 〕 〔 de 〕 〔 dans 〕

....

4. Lis les mots, puis complète
la grille de mots croisés.

ROBINET
FILET
CARNET
LIVRET

gn

1. Écris les mots sous les dessins, puis lis-les.

la ....   un ....   le ....

2. Recherche tous les **gn** écrits de différentes façons, puis entoure-les.

Gn   gu   gn   GN   gh   gneu   gn   ga   gné

Agu   agn   gn   gh   GN   gu   gnon   gui   Gn

3. Remets les syllabes en ordre pour former les mots, puis écris-les et lis-les.

go   ci   gne   gne   soi   si   tu   re   gna

....

4. Lis les phrases, puis complète-les avec l'un de ces mots.

égratignures – majuscules – saigne – lignes – montagne

Pour les vacances, nous sommes partis à la ....

Émilie écrit une histoire sur son cahier.

Elle écrit sur les .... et forme les ....

Sami est tombé. Il a des .... et son genou ....

au eau

1. Lis les mots, puis entoure la syllabe quand tu entends le son « o » écrit **au** ou **eau**.

aujourd'hui	un taureau	le jaune
une autruche	un chapeau	le vautour
un manteau	un château	un rideau

2. Relie les syllabes pour former des mots, puis écris-les et lis-les.

tau ●   ● meau   ....

cha ●   ● peau   ....

poi ●   ● gneau ....

a   ●   ● reau   ....

3. Lis les mots, puis classe-les dans la bonne colonne.

la sauce – un cadeau – le radeau – le corbeau – autour
un veau – chaud – une taupe

au	eau
....	....
....	....
....	....
....	....

4. Lis le texte, puis complète le dessin.

un chapeau jaune sur sa tête

un gros cadeau dans ses bras

des chaussures rouges avec des lacets

eu œu

1. Lis les mots, puis entoure la syllabe quand tu entends le son « e » écrit **eu** ou **œu**.

le feu – un nœud – peureux – heureux – deux – le beurre courageux – les œufs

2. Complète les mots avec *œu*, puis lis-les.

le c..............r – ma s..............r – un n..............d – un b..............f

3. Réponds aux questions.   Qui chante ? → *un chanteur*

Qui coiffe ? → *un coiff*..............   Qui vend ? → *un vend*..............

Qui pêche ? → *un pêch*..............   Qui danse ? → *un dans*..............

4. Mets les étiquettes en ordre pour former une phrase, puis écris-la et lis-la à voix haute.

(sur) (des œufs) (Elle) (a) (mis) (la table) (et) (beurre) (du)

E..

....

5. Dans chaque liste de mots il y a un son commun. Trouve-le, puis écris-le sur l'étiquette.

soigne	neuf	morceaux	bracelet
mignon	deux	anneaux	jouet
agneau ☐	vieux ☐	veau ☐	filet ☐

48

1. Retrouve les mots contenant **ain** ou **ein**, puis écris-les et lis-les.

NAIM   une ....   TUPEINRE   de la ....

PIAN   du ....   RECEINTU   une ....

RAINT   un ....   TUTEINRE   de la ....

2. À l'aide des dessins, complète la grille de mots croisés.

3. Lis les phrases et barre le mot qui est faux.

Dans la gare, il y a des ⬚ trains ⬚ ~~bains~~ .

Sami se promène souvent les ⬚ moins ⬚ ⬚ mains ⬚ dans les poches.

Julie a cassé les ⬚ freins ⬚ ⬚ reins ⬚ de son vélo.

Émilie achète de la ⬚ peinture ⬚ ⬚ pointure ⬚ et des pinceaux.

4. Lis et entoure les **ain** et **ein**.

| ain | ani | ein | ian | ien | AIN | ain |
| ein | eni | oin | noi | ain | EIN | NEI |

49

ian   ieu
ion   ien

1. Lis les mots, puis retrouve les syllabes des étiquettes et encadre-les de la couleur correspondante.

ian	ieu	ion	ien

la v ian de   le gardien   adieu

un champion   combien   souriant

2. Lis les mots, puis classe-les dans la bonne colonne.

une friandise – le milieu – le sien – une réunion – un pion
capricieux – le triangle – la révision

ian	ieu	ion	ien
une friandise	....	....	....
....	....	....	....
....	....	....	....
....	....	....	....

3. Écris les mots sous les dessins, puis lis-les.

un .... un .... de la .... un ....

4. Lis les mots et souligne les noms qui se rapporte aux personnes.

un Indien – mon copain – un docteur – le lion
le chien – un peintre – le collégien – le pharmacien
un panier – le musicien – un lampion – le pain

1. Lis les mots, puis dessine.

un sac de billes   une petite fille   un joli papillon

2. Lis les phrases à voix haute, puis entoure le son **ill** dans les mots.

La jolie chenille est sur la fleur.
Le petit poisson frétille dans son bocal.
Dans le four, le pain grille.
Devant le miroir, maman se maquille.

3. Retrouve les mots terminés par le son *ill*, puis écris-les et lis-les.

une fam...... ....   un gor...... ....

la qu...... ....   une gr...... ....

4. Choisis un mot ou groupe de mots dans chaque bulle pour former deux phrases, puis écris-les et lis-les à voix haute.

Julie / Sami   organise / a   une fête / un bracelet   à la cheville. / de famille.

....

....

aill   eill
ouill   euil

1. Relie pour former des mots, puis écris-les et lis-les.

une or   ●   ● aille   ....

une gren ●   ● euille   ....

une f   ●   ● ouille   ....

la bat   ●   ● eille   ....

2. Lis, puis écris le son que tu entends à la fin de chaque mot.

un réveil → ....   un écureuil → ....

un portail → ....   un fauteuil → ....

3. Complète les phrases avec le mot qui convient, puis lis-les.

écailles – feuille – écureuil – paille

Sami a très peur, il tremble comme une ....

Un poisson n'a pas de poils, il a des ....

Un .... grimpe très vite sur l'arbre.

Pour boire mon soda, j'utilise une ....

4. À l'aide des mots, complète
la grille de mots croisés.

ÉVENTAIL

BOUTEILLE

GRENOUILLE

ORTEIL

ef   ec   el
er   ep   es

1. Complète les mots avec *ec – el – er* ou *es*.

des p........*les*   un ....cargot   son b........   un tunn........

2. Lis en séparant les mots d'une barre /, puis écris-les
en ajoutant *un – une* ou *il* devant et lis-les.
chef/verrespirevestereptilefermeinsecteserpent

un   *chef*   ....

....

....

....

3. Lis les mots dans la boîte, puis complète les phrases avec
celui qui convient et lis-les à voix haute.

En ...., il met ses gants.

Il y a un .... sur la casserole.

Julie a fait un joli collier de ....

À l'école, j'aime beaucoup la ....

perles
couvercle
hiver
lecture

4. Complète les mots, puis lis-les.

ef – ec – er – ep – el – es

mon ch........   la l........ture   un r........tile

la f........me   sa v........te   du caram........

53

elle erre ette esse enne

1. Lis les syllabes à voix haute.

| velle | mette | chette | tesse | telle | cesse | rette | tenne |

2. Complète les mots, puis lis les phrases à voix haute.

C'est une bonne nouv...................... .

Émilie est une petite princ...................... .

Les enfants grimpent sur l'éch...................... .

Papa répare sa brou...................... .

3. Lis les mots, puis relie les dessins correspondants.

la fourchette   ●

une hirondelle   ●

la brouette   ●

la Terre   ●

4. Lis en séparant les mots d'une barre /, puis écris les phrases et lis-les à voix haute.

Juliette/sedéguisecommeuneprincesse.

Juliette ....

Mamanamisunecouettesurlelitde Sami.

....

54

y = ii

1. Lis les mots, puis classe-les dans la bonne colonne.

un crayon – le voyage – un tuyau – les rayures
les voyelles – le nettoyage – le gruyère – le paysage

ay	oy	uy
un crayon	....	....
....	....	....
....	....	....

2. Relie pour former des mots, puis écris-les et lis-les.

le tuy   ●   ● on   ....
du gruy ●   ● au   ....
le cray ●   ● ère   ....
un noy   ●   ● au   ....

3. Lis les phrases, puis entoure celle qui est illustrée.

Le chien a aboyé toute la nuit.
Dans le paysage, il y a une grande ferme.
Théo range les livres sur les rayons.
Julie regarde le paysage par le hublot.

4. Lis, puis entoure les mêmes mots écrits de plusieurs façons.
(Utilise une couleur par mot nouveau.)

rayure   *joyeuse*   RAYURE   *rayon*   rayure

royaume   balayer   voyage   RAYON   ROYAUME

aboyer   *balayage*   BALAYER   rayures   joyeux

55

ti = si

1. Relie pour former des mots, puis écris-les et lis-les.

la multiplica •

la répara • • tion ....

la consola •

2. Complète les phrases avec le mot qui convient,
puis lis-les à voix haute.

multiplication – récréation – collection – punition

Dans la cour de ...., les filles jouent à la corde.

Mon frère a une .... de billes.

Julie apprend ses tables de ....

La maîtresse lui donne une ....

3. Lis, puis entoure de différentes couleurs les mots
de la même famille.

| circuler | multiplie | patient | multiplication | circulation |
| respire | patience | respiration | invite | invitation |

4. Lis en séparant les mots d'une barre /, puis écris les phrases
et lis-les à voix haute.

A v a n t / d e t r a v e r s e r , l e p o l i c i e r f a i t l a c i r c u l a t i o n .

Avant..

Q u a n d j e p l o n g e , j e r e t i e n s m a r e s p i r a t i o n .

....

sp st sc

1. Lis les mots, puis complète la grille de mots croisés.

SPIRALE
PASTÈQUE
SIESTE
ARTISTE

2. Lis les syllabes, puis relie-les aux bons mots.

la sculpture •

une escalope •

un stylo •

un instituteur •

| sca |
| stro |
| sty |
| sco |
| sti |

• le sparadrap

• une strophe

• les scouts

• l'estomac

3. Lis les mots, puis ajoute *le*, *la* ou *l'* devant chaque mot.

.... scorpion   .... escalier   .... spectacle

.... élastique   .... scarabée   .... pastèque

4. Mets les mots en ordre, puis écris les phrases correctement et lis-les à voix haute.

Julie du peur scarabée. a

....

dans tombé Sami est l'escalier.

....

X W

1. Lis les mots, puis relie-les au bon son.

soixante ●   ● | ks | ●   ● exercice

exaspère ●   ● | gs | ●   ● deuxième

luxe ●   ● | z | ●   ● réflexe

dix ●   ● | s | ●   ● existe

2. Lis les mots, puis entoure le son **x** que l'on n'entend pas.

exprès – la paix – un exemple – la croix – exotique

des choux – les ciseaux – la taxe – les oiseaux

3. Complète les phrases avec le mot qui convient, puis lis-les à voix haute.

extérieur – exposition – taxi – exceptionnelle

Nous allons faire la queue à l'.............................. du cinéma.

Pour aller à la gare, j'appelle un ....

Demain, papa nous amène voir une .... de sculpture.

La fête de fin d'année fut une journée ....

4. Lis les mots, puis entoure le mot dans lequel le **w** est prononcé **v**.

wapiti   wagon   western

Révisions

1. Lis les mots, puis relie-les au bon son.

un domino ●   ● une bobine

un béret ●   ● b ●   ● la pédale

une bêche ●   ● d ●   ● une salade

2. Complète les mots avec les syllabes *bi – di* ou *pi*, puis lis-les.

un ta……s   un ……beron   un ra……s   un ro……net   un ……rate

3. Relie les mots au son que tu entends.

baleine ●   ● abeille

tabouret ●   ● ba ●   ● bateau

crabe ●   ● ab ●   ● bague

4. Complète les mots avec *c* ou *g*, puis lis-les.

une ……abane   une ……uitare   une ……arte   la ……are

le ……afé   un lé……ume   la fi……ure   une ba……uette

5. Forme des mots avec les syllabes, puis écris-les.

| du tor | tue tor | te da | tar te |

………………   ………………   ………………   ………………

59

Révisions

1. Lis les syllabes, puis entoure-les de la même couleur dans les mots et lis-les.

fé	café – fémur – fée – Félix
va	valise – cheval – vache – avale

2. Lis les mots, puis entoure **ch** en rouge et **j** en bleu.

jupe – chat – joli – jumelle – mèche – marche
journal – niche

3. Relie les mots au bon son.

forêt •   • | f | •   • vache

pêche •   • | s | •   • sac

salade •   • | ch | •   • fenêtre

4. Forme des mots, puis écris-les et lis-les.

ni mal a	do mi no	ro nu mé	te nu mi

....

5. Lis les étiquettes, puis barre les mots qui n'existent pas.

cheminée   minèche   fumée   nufé

Fuchiso   caniche   cheval   valche

1. Lis les mots, puis relie-les au bon son.

pantalon •

éléphant •

tampon •

boucle •

• on •

• an •

• ou •

• chaton

• pont

• tante

• bouchon

2. Lis les trois syllabes entourées, puis retrouve-les dans la liste et entoure-les de la même couleur.

ton   sou   pan

| chon | sou | tou | pan | son | ton |
| cou | fon | pan | non | ton | mon |

3. Écris les mots sous les dessins.

un .... un .... le .... un ....

4. Écris les syllabes dans le tableau, puis complète les mots et lis-les.

un ....lin

un bou............

une ....son

de la ....pe

	ou	on	an
m			
ch			
s			

Révisions

1. Lis, puis entoure les syllabes quand tu entends le son **gn**.

gnon   gue   ge   gnan   gan   gne   geu   gneu

gueu   gar   gni   gui   gno   gnou   gou

2. Forme des mots avec les syllabes, puis écris-les et lis-les.

ci		pi		châ	
	go		cham		tai
gne		gnon		gne	

une ....   *un* ....   *une* ....

3. Lis, puis entoure les syllabes quand il y a **ill**.

euille   ille   eule   illon   allié   aillé

ouille   aille   ielle   eille   oule   allé

4. Devinettes : retrouve le son qui manque dans chaque mot, puis écris-le et lis les mots.

oi	C'est un fruit : une p...............re.
io	C'est un instrument de musique : le p...............no.
ai	C'est une pelote pour faire un pull : de la l...............ne.
ia	C'est un instrument de musique : le v...............lon.

5. Complète les mots de l'histoire, puis lis-la à voix haute.

Une to.........tue se p.........omène dans le ja.........din.

Elle a dévo.........é toutes les sala.........es

et le ja.........dinier n'est pas ....avi.

1. À l'intérieur de chaque case, relie les sons qui se ressemblent.

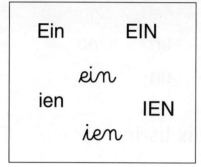
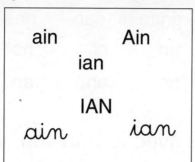
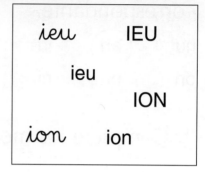

2. Complète les mots avec *ien – ian – ion* ou *ain*, puis lis les phrases à voix haute.

Il promène son ch............ .

Émilie achète du p............ chez le boulanger.

Il y a un dompteur de l............s sur la piste.

Il aime la v............ de mais pas les légumes.

3. Lis les mots, puis barre dans chaque bulle le mot qui n'existe pas.

du plé
du blé

un arbre
un ardre

un bars
un bras

une branche
une pranche

du drommage
du fromage

un crocodile
un crocrobile

une drune
une prune

Révisions

1. Lis, puis entoure les (an) (ni) (un) de la couleur correspondante.

nu	(an)	in	un	ni	na	un	no
on	nu	ni	ne	en	an	un	ni

2. Complète les mots avec le bon son, puis lis-les.

(na / an)   un ....vire   (on / no)   un pantal...........

(in / ni)   un sap...........   (an / na)   une ....ppe

(in / ni)   un ....d   (no / on)   une ....te

3. Entoure la syllabe qui manque dans les mots, puis écris-la et lis les mots.

or   *er*   *ra*   *ous*

une p...........te   un ....nard   une l...........me   la ....pe

ro   *re*   *ar*   *sou*

4. Lis, puis entoure de la même couleur les syllabes identiques.

(COR)	CRO	ROC	COR	CRO	CAR	ORC
(TRE)	TRE	TER	TOR	TRE	RET	TER
(PRO)	POR	ORP	ROP	PRO	PRU	POR

Achevé d'imprimer en Espagne par Cayfosa
Dépôt légal: Septembre 2011
Edition 10 - 16/9164/1